FOIE GRAS

PAR *Andrea*

ANDREA JOURDAN

Directrice de collection : Valérie Bélanger
Design graphique et infographie : Marion Fagnot
Photographe : Philip Jourdan
Assistant photographe : Mathieu Vaucher
Stylisme culinaire : Dominique Bey
Coordonnatrice à la correction : Francesca Jourdan

ISBN : 978-2-924938-02-7

Dépôt légal - Bibliothèque et Archives nationales du Québec, 2018
Dépôt légal - Bibliothèque et Archives Canada, 2018

**Catalogage avant publication de Bibliothèque et Archives
nationales du Québec et Bibliothèque et Archives Canada**

Jourdan, Andrea, 1956-, auteur

    Foie gras par Andrea / Andrea Jourdan.

    (Par Andrea ; 3)

    ISBN 978-2-924938-02-7 (couverture souple)

    1. Cuisine (Foie gras). 2. Livres de cuisine. I. Titre.

TX750.J68 2018   641.6'6598 C2018-942058-8

Suivez-nous sur le Web
Consultez notre site Internet **andreajourdaneditions.com**.
Inscrivez-vous à l'infolettre pour rester informé en tout temps
de nos publications et de notre actualité.

Le foie gras est considéré comme un mets luxueux et recherché et ce, depuis l'Égypte ancienne. Les anciens Égyptiens avaient observé que les oies et les canards sauvages se gavaient naturellement en prévision de leur migration annuelle. Les Grecs et les Romains prisaient tout autant ce délice.

D'oie ou de canard, le foie gras se cuisine de la même manière, qu'il finisse en terrine, en pâté, en mousse, en beurre, au torchon ou simplement poêlé. Une légère amertume se développe à la cuisson, ainsi il est souvent servi avec des garnitures douces. Dès la première bouchée, son goût délicat et sa texture beurrée charment le palais.

Tous les accompagnements lui vont bien, particulièrement les fruits compotés, les agrumes qui lui apportent un peu d'acidité, les oignons confits qui lui donnent de la douceur et la truffe qui lui apporte une dimension nouvelle. Mais la fleur de sel est son véritable compagnon à ne jamais oublier.

Les alcools aussi font bon ménage avec le foie gras, le vin doux, le porto, le cognac et le champagne en première ligne.

Synonyme du plaisir, le foie gras, prince de la table gourmande, anime tous les repas de fête.

# FROID

Carpaccio de bœuf, sauce au foie gras

Tartare de thon au foie gras

Homard et salsa au foie gras

Mousse de foie gras aux pacanes

Terrine de foie gras

Tartine de foie gras et sa confiture de poires

Salade de fruits et de foie gras à la marmelade

Crème brûlée au foie gras et au chocolat

Carré chocolaté au foie gras et paillettes d'or

CARPACCIO DE BŒUF, SAUCE AU FOIE GRAS

Portions : 4   *Préparation :* **20 min**   *Cuisson :* **10 min**   *Réfrigération :* **30 min**

225 g (8 oz) de foie gras au torchon
125 ml (½ tasse) de vinaigre balsamique
½ c. à thé de sauce Worcestershire
450 g (1 lb) de filet de bœuf très froid
Sel et poivre

Hacher 55 g (2 oz) de foie gras.

Dans une petite casserole, mélanger le vinaigre balsamique, la sauce Worcestershire et le foie gras haché. Cuire à feu doux en remuant, jusqu'à ce que le foie gras soit fondu. Verser dans un bol et réfrigérer 30 minutes.

Couper le filet de bœuf en tranches très fines. Répartir sur des assiettes froides. Saler et poivrer. Arroser de sauce au foie gras.

À l'aide d'un économe, couper le reste du foie gras en tranches fines. Les déposer dans les assiettes sur les tranches de boeuf. Servir immédiatement.

Une entrée marquante pour les amateurs de viande crue.

TARTARE DE THON AU FOIE GRAS

Portions : **6**   *Préparation* : **20 min**   *Réfrigération* : **1 h**

450 g (1 lb) de thon frais, en dés
4 radis, finement hachés
1 pomme verte non pelée, en dés
1 c. à s. de coriandre hachée
2 c. à s. de ciboulette hachée
1 c. à thé d'huile de noisette
1 goutte de sauce Tabasco
1 c. à thé de vinaigre de citron
60 ml (¼ tasse) de vodka
225 g (8 oz) de foie gras au torchon, très froid
Sel

Dans un grand bol, mélanger le thon, les radis, la pomme, la coriandre, la ciboulette, l'huile, la sauce Tabasco et le vinaigre. Saler. Couvrir et réfrigérer 1 heure.

Répartir le tartare dans des coupes individuelles. Arroser de vodka.

À l'aide d'un économe, râper le foie gras sur le tartare. Servir immédiatement.

Pour un grain d'originalité, voici une entrée inhabituelle et raffinée à découvrir sans plus attendre.

HOMARD ET SALSA AU FOIE GRAS

Portions : 4   *Préparation* : 35 min   *Réfrigération* : 30 min

225 g (8 oz) de foie gras au torchon
2 mangues Atolfo, pelées et en dés
8 petites tomates, en dés
3 c. à s. de ciboulette finement hachée
Le jus d'une orange
2 c. à s. de sirop d'ananas
4 homards cuits
Sel et poivre

Couper le foie gras en dés.

Dans un bol, mélanger les mangues, les tomates, les dés de foie gras et la ciboulette. Saler et poivrer. Arroser de jus d'orange et de sirop d'ananas. Couvrir et réfrigérer 30 minutes.

Couper les homards en moitié. Remplir les cavités d'un peu de mélange de foie gras.

Répartir le reste du mélange de foie gras dans des coupes individuelles. Servir immédiatement avec les homards.

Le summum d'un repas terre-mer, ce plat est une réussite assurée lors d'un buffet estival ou d'un repas entre amis.

MOUSSE DE FOIE GRAS AUX PACANES

Portions : 4   *Préparation :* **25 min**   *Cuisson :* **5 min**   *Réfrigération :* **2 h**

225 g (8 oz) de foie gras au torchon
125 ml (½ tasse) de crème légère 15 %
2 c. à s. de rhum brun
1 pincée de muscade moulue
55 g (2 oz) de pacanes finement hachées
Sel et poivre

Dans une casserole, mélanger le foie gras au torchon et la crème. Cuire à feu doux, en remuant jusqu'à ce que le foie gras soit fondu. Saler et poivrer.

Retirer la casserole du feu. Ajouter le rhum et la muscade.

Transférer le mélange dans le bol d'un mixeur plongeur et mélanger à petits coups. Passer à travers un tamis posé au-dessus d'un grand bol. Incorporer les pacanes à l'aide d'une spatule.

Verser le mélange dans des ramequins individuels. Réfrigérer au moins 2 heures avant de servir avec du pain grillé ou des croûtons.

La saveur délicate et la texture soyeuse du foie gras se retrouvent dans cette mousse parfaite pour une entrée.

TERRINE DE FOIE GRAS

Portions : 8   *Préparation* : 40 min   *Macération* : 4 h   *Cuisson* : 35 min
Repos : 30 min   *Réfrigération* : 24 h

2 c. à thé de sel
1 c. à thé de piment de la Jamaïque
2 c. à thé de poivre blanc moulu
1 c. à thé de sucre
450 g (1 lb) de foie gras cru éveiné
250 ml (1 tasse) de vin doux
Fleur de sel
Poivre noir moulu

Dans un bol, mélanger le sel, le piment de la Jamaïque, le poivre blanc et le sucre. Frotter les lobes de foie gras sur tous les côtés avec les épices. Placer dans un plat. Verser le vin doux. Couvrir et laisser mariner 4 heures.

Préchauffer le four à 160 °C (325 °F).

Dans une terrine en porcelaine ou un plat à four, tasser les lobes de foie gras en appuyant avec les doigts. Couvrir et placer dans une casserole remplie d'eau frémissante. Cuire au four environ 35 minutes. Avec un thermomètre, mesurer la température au centre, elle doit atteindre 50 °C (120 °F).

Retirer la terrine du four et laisser refroidir 30 minutes.

Retirer le couvercle de la terrine. À l'aide d'une cuillère, enlever la moitié de la graisse sur le dessus de la terrine, en en laissant une fine couche. Placer une assiette recouverte de film alimentaire et un poids sur le foie gras pour presser légèrement sur la terrine. Réfrigérer au moins 24 heures.

Une heure avant de servir, retirer la terrine, le poids et l'assiette du réfrigérateur. Laisser revenir à température ambiante.

Saupoudrer la terrine de quelques grains de fleur de sel et de poivre noir avant de servir.

Cette terrine est à consommer dans les 6 jours suivant sa préparation et se conserve au réfrigérateur.

NOTE

Traditionnellement, les vins doux comme le sauternes, le jurançon ou le Passito sont utilisés. Pour une version originale, essayez du cognac, du lillet, de l'armagnac ou du porto.

TARTINE DE FOIE GRAS ET SA CONFITURE DE POIRES

Portions : 4   *Préparation :* **2 jours**   *Réfrigération :* **20 h**   *Cuisson :* **45 min**

Repos : **1 h**   *Macération :* **8 h**

Foie gras au torchon
1½ c. à thé de sel
1 c. à thé de poivre
1 c. à s. de sucre
1 pincée de piment de la Jamaïque
450 g (1 lb) de foie gras frais entier, éveiné
250 ml (1 tasse) de porto blanc
Fleur de sel

Confiture de poires
4 grosses poires, pelées et en dés
4 c. à s. de sucre
3 c. à s. de miel
60 ml (¼ tasse) de vin blanc doux
1 gousse de vanille

NOTE
Si le temps vous manque, utilisez une confiture de poires artisanale.

Dans un bol, mélanger le sel, le poivre, le sucre et le piment de la Jamaïque. Ouvrir le foie gras. Le frotter du mélange d'épices puis le déposer dans un plat peu profond. Verser le porto sur le foie gras. Le replier pour fermer. Couvrir et réfrigérer 8 heures.

Retirer du réfrigérateur 1 heure avant de travailler le foie gras.

Égoutter le foie gras sur du papier absorbant. Le former en un cylindre bien serré. Envelopper le cylindre de film alimentaire, en serrant bien. Enrouler le cylindre à nouveau de 3 tours de film alimentaire. Maintenir les extrémités avec de la ficelle de cuisine.

Dans une casserole d'eau à 80 °C (175 °F), plonger le cylindre de foie gras. Après 15 minutes, transférer le cylindre dans un bol d'eau rempli de glaçons et le retourner plusieurs fois. Placer le bol contenant le foie gras au réfrigérateur au moins 12 heures.

Préparer la confiture de poires. Dans une grande casserole, cuire à feu moyen tous les ingrédients 5 minutes, en remuant sans cesse. Baisser le feu et cuire 25 minutes. Retirer la gousse de vanille. Laisser refroidir.

Retirer le bol contenant le foie gras du réfrigérateur. Déballer le foie gras délicatement et le couper en tranches épaisses. Saupoudrer de fleur de sel. Servir avec la confiture de poires.

a base de nombreuses recettes,
foie gras au torchon est la méthode
plus traditionnelle pour l'apprécier.

Une entrée originale et rafraîchissante pour un repas estival.

SALADE DE FRUITS
ET DE FOIE GRAS À LA MARMELADE

Portions : 4   *Préparation :* 15 min   *Macération :* 30 min   *Réfrigération :* 30 min

500 ml (2 tasses) de jus d'orange
250 ml (1 tasse) de marmelade d'oranges
2 pommes vertes non pelées, en dés
4 abricots, pelés et en dés
1 cantaloup, pelé et en dés
12 cerises de terre
12 bâtonnets d'oranges confites, hachés
110 g (4 oz) de foie gras au torchon,
en gros cubes

Dans un grand bol, mélanger le jus d'orange et 125 ml (½ tasse) de marmelade d'oranges. Ajouter les pommes, les abricots, le cantaloup, les cerises de terre et les oranges confites. Mélanger, couvrir et laisser mariner 30 minutes.

Piquer les cubes de foie gras sur des petites brochettes. Tremper les cubes dans le reste de la marmelade d'oranges. Réfrigérer 30 minutes.

Répartir la salade de fruits dans des bols froids. Garnir de brochettes de foie gras. Servir immédiatement.

CRÈME BRÛLÉE AU FOIE GRAS ET AU CHOCOLAT

Portions : 8   *Préparation :* 30 min   *Cuisson :* 50 min   *Réfrigération :* 8 h

375 ml (1½ tasse) de lait
375 ml (1½ tasse) de crème à fouetter 35 %
2 c. à s. de cacao en poudre
55 g (2 oz) de chocolat noir 70 % râpé
6 gros jaunes d'œufs
130 g (1 tasse) de sucre
110 g (4 oz) de foie gras au torchon, en tranches
3 c. à s. de cassonade

Dans une casserole, porter à ébullition le lait et la crème. Incorporer le cacao et le chocolat. Retirer la casserole du feu.

Dans un grand bol, au fouet électrique, battre les jaunes d'œufs et le sucre 3 minutes. Verser le contenu de la casserole dans ce mélange, en fouettant. Réfrigérer le bol une nuit complète.

Préchauffer le four à 150 °C (300 °F).

Retirer le bol du réfrigérateur. Verser le mélange dans 8 ramequins. Ajouter 1 tranche de foie gras au centre de chaque ramequin. Cuire au four 45 minutes.

Retirer les ramequins du four. Laisser refroidir complètement.

Saupoudrer chaque crème brûlée de cassonade. Caraméliser la cassonade en surface en utilisant un chalumeau. Servir immédiatement.

Redécouvrez le foie gras, roi de la cuisine française,
dans ce somptueux dessert classique.

CARRÉ CHOCOLATÉ AU FOIE GRAS ET PAILLETTES D'OR

Portions : **6**   *Préparation :* **25 min**   *Réfrigération :* **4 h 30**

225 g (8 oz) de foie gras au torchon
60 ml (¼ tasse) de crème légère 15 %
1 pincée de gingembre moulu
1 pincée de muscade moulue
225 g (8 oz) de pastilles de chocolat noir 70 %
1 c. à s. de paillettes d'or comestibles

Couvrir un plat peu profond ou une plaque à pâtisserie de papier sulfurisé.

Dans le bol d'un mélangeur, mixer le foie gras, la crème, le gingembre et la muscade jusqu'à consistance lisse. À l'aide d'une spatule, étaler le mélange dans le plat. Réfrigérer 4 heures.

Retirer le plat du réfrigérateur. Couper la plaque de foie gras en carrés de 2,5 cm (1 po).

Dans un bol en acier inoxydable placé sur une casserole d'eau frémissante, faire fondre les pastilles de chocolat, en remuant.

Retirer le bol du feu. Tremper rapidement chaque carré de foie gras dans le chocolat et transférer sur une assiette. Saupoudrer chacun de paillettes d'or. Réfrigérer 30 minutes avant de servir.

Une étonnante recette à servir en amuse-bouche ou en dessert.

HORS D'OEUVRE

BROCHETTES DE FOIE GRAS POÊLÉ AUX POIVRONS ET AUX PÊCHES

Portions : **8**   *Préparation* : **15 min**   *Réfrigération* : **1 h**   *Cuisson* : **5 m**

450 g (1 lb) de foie gras cru
125 ml (½ tasse) de porto
2 c. à s. de farine tout usage
2 pêches, pelées et en cubes
1 gros poivron rouge, cuit et en cubes
Sel et poivre

Saler et poivrer le foie gras. Le couper en cubes. Déposer les cubes dans un bol. Arroser de porto. Réfrigérer 1 heure.

Retirer le bol du réfrigérateur. Placer la farine sur une assiette. Passer les cubes de foie gras dans la farine. Secouer pour en retirer l'excédent.

Dans un poêlon très chaud, faire revenir à feu moyen les cubes de foie gras 1 minute de chaque côté. Transférer sur du papier absorbant.

Dans le même poêlon, faire sauter les cubes de pêche à feu moyen 3 minutes pour les dorer. Retirer du feu.

Piquer sur des petites brochettes les cubes de foie gras, les poivrons et les pêches. Poivrer généreusement et servir.

PETIT PAIN D'ÉPICES AU BEURRE DE FOIE GRAS

Portions : 6   *Préparation :* **25 min**   *Réfrigération :* **1 h**

1 petit pain d'épices
225 g (8 oz) de beurre de foie gras
3 dattes, finement hachées
2 c. à s. de raisins secs
2 c. à s. de noisettes finement hachées
3 abricots secs, hachés
½ c. à thé de piment d'Espelette

Creuser le centre du pain d'épices pour en retirer la mie, en faisant attention à ne pas percer le bord. Badigeonner l'intérieur de la moitié du beurre de foie gras.

Dans un bol, mélanger les dattes, les raisins secs, les noisettes, les abricots secs et le piment d'Espelette. Incorporer 2 c. à s. de beurre de foie gras. Remplir l'intérieur du pain d'épices de ce mélange. Garnir du beurre de foie gras restant.

Réfrigérer 1 heure avant de servir.

VERRINE DE MOUSSE DE FOIE GRAS ET SON MAÏS ÉCLATÉ AU CARAMEL

Portions : 6   *Préparation :* **20 min**   *Réfrigération :* **30 min**

225 g (8 oz) de foie gras au torchon
250 ml (1 tasse) de crème à fouetter 35 %
2 c. à s. de porto blanc
500 ml (2 tasses) de gelée de poivron
110 g (4 oz) de maïs éclaté au caramel, haché
Sel et poivre

Dans le bol d'un robot culinaire, mixer le foie gras, la crème et le porto 2 minutes. Saler et poivrer. Mélanger 2 minutes ou jusqu'à consistance lisse.

Transférer le mélange dans une poche à pâtisserie munie d'une douille unie. Remplir 6 verrines du mélange jusqu'au tiers de la hauteur. Couvrir d'une couche de gelée de poivron. Ajouter une autre couche de mousse de foie gras et une autre couche de gelée de poivron. Réfrigérer 30 minutes.

Retirer les verrines du réfrigérateur. Les garnir de maïs éclaté haché. Servir.

CHAUD

Petit déjeuner de foie gras

Tartine de panettone au foie gras

Velouté de courge et foie gras au sésame

Bisque de homard, émulsion au foie gras

Asperges au beurre de foie gras

Aubergines japonaises et copeaux de foie gras

Pétoncles, foie gras et purée de maïs

Foie gras poêlé et sa gelée de poivron

Cuisses de pintade au jus de porto et au foie gras

Cailles farcies au foie gras et pain d'épices

Foie gras poêlé aux échalotes caramélisées

Côte de veau, chutney minute au foie gras

Brochettes de canard, sauce au foie gras

Burger de veau et de canard aux figues et au foie gras

Poires au foie gras, sauce à la truffe

PETIT DÉJEUNER DE FOIE GRAS

Portions : 4   *Préparation :* **20 min**   *Cuisson :* **15 min**

125 ml (½ tasse) de fond de veau
2 c. à s. de vinaigre balsamique
3 c. à s. de gras de canard
900 g (2 lb) de pommes de terre Charlotte
ou Ratte, cuites
½ c. à thé de sel d'oignon
2 oignons verts, hachés
6 œufs durs, en moitié
225 g (8 oz) de tranches de foie gras au torchon
1 c. à s. de persil finement haché
1 c. à s. de cerfeuil finement haché
Sel et poivre

Dans une casserole, porter à ébullition le fond de veau e
le vinaigre balsamique. Saler et poivrer. Baisser le feu et
laisser mijoter 5 minutes.

Retirer la casserole du feu. Réserver la sauce.

Dans un grand poêlon, faire fondre le gras de canard.
Ajouter les pommes de terre et faire revenir à feu vif
jusqu'à ce qu'elles soient bien dorées. Saupoudrer de
sel d'oignon.

Répartir les pommes de terre dans des assiettes. Garnir
d'oignons verts, d'œufs durs et de tranches de foie gras
Saupoudrer de persil et de cerfeuil. Verser la sauce
réservée. Servir immédiatement.

Pour un brunch amical et chic, il n'y a rien de meilleu
que cette poêlée de pommes de terre au foie gras

TARTINE DE PANETTONE
AU FOIE GRAS

Portions : 4   *Préparation :* **10 min**   *Cuisson :* **5 min**

3 c. à s. de beurre salé
4 tranches de panettone
4 c. à s. de confiture d'abricots
110 g (4 oz) de foie gras au torchon, en dés
1 c. à s. de vinaigre de vin blanc
4 œufs
Sel et poivre

Dans un poêlon, faire fondre le beurre. Ajouter les tranches de panettone et griller à feu moyen 2 minutes de chaque côté.

Transférer les tranches de panettone cuites sur du papier absorbant.

Tartiner les tranches de panettone de confiture. Répartir les dés de foie gras sur la confiture. Saler et poivrer. Réserver.

Dans une casserole d'eau bouillante salée, verser le vinaigre. Casser les œufs un à un dans la casserole. Cuire jusqu'à ce que le blanc des œufs soit pris.

À l'aide d'une écumoire, transférer les œufs sur du papier absorbant.

Garnir les tartines d'œufs cuits. Saler et poivrer. Servir immédiatement.

VELOUTÉ DE COURGE
ET FOIE GRAS AU SÉSAME

Portions : 6   *Préparation :* 30 min   *Cuisson :* 1 h

2 tranches de bacon fumé
1 oignon, finement haché
1 branche de céleri, finement hachée
2 pommes de terre, pelées et en dés
1 pomme, pelée et en dés
450 g (1 lb) de dés de courge
1 pincée de muscade moulue
1 pincée de gingembre moulu
2 L (8 tasses) de bouillon de volaille
1 c. à s. de coriandre hachée
1 c. à thé d'huile de sésame
6 tranches épaisses de foie gras au torchon
3 c. à s. de graines de sésame noir
Sel et poivre

Dans une grande casserole, faire revenir le bacon à feu moyen 5 minutes ou jusqu'à ce qu'il rende son gras. Ajouter l'oignon, le céleri, les pommes de terre, la pomme et les dés de courge. Faire revenir 5 minutes. Saler et poivrer. Ajouter la muscade et le gingembre. Verser le bouillon et porter à ébullition. Baisser le feu et cuire 50 minutes.

À l'aide d'un mixeur plongeur, mélanger le potage jusqu'à consistance lisse. Incorporer la coriandre et l'huile de sésame.

Déposer les graines de sésame dans un plat. Passer un côté des tranches de foie gras dans le sésame, en pressant légèrement pour bien adhérer.

Verser le potage dans des bols. Garnir de tranches de foie gras au sésame. Servir immédiatement.

Ce potage aux accents légèrement asiatiques
s'accorde parfaitement avec le foie gras

BISQUE DE HOMARD, ÉMULSION AU FOIE GRAS

Portions : **6**   *Préparation :* **40 min**   *Cuisson :* **50 min**

2 c. à s. d'huile d'olive extra vierge
900 g (2 lb) de carcasses de homard
125 ml (½ tasse) de cognac
1 gros oignon, finement haché
1 branche de fenouil, hachée
1 branche de céleri, finement hachée
1 carotte, pelée et en dés
1 grosse pomme de terre, pelée et en dés
2 c. à s. de farine tout usage
60 ml (¼ tasse) de pâte de tomates
2 gousses d'ail, pelées et hachées
500 ml (2 tasses) de vin blanc sec
750 ml (3 tasses) de bouillon de légumes
2 feuilles de laurier
2 grosses tomates, hachées
110 g (4 oz) de chair de homard, finement hachée
225 g (8 oz) de foie gras au torchon
6 pinces de homard
Pousses de radis
Sel et poivre

Dans une grande casserole, faire chauffer l'huile d'olive. Ajouter les carcasses de homard et laisser colorer 5 minutes. Verser le cognac. Porter à ébullition en grattant le fond avec une cuillère en bois pour chercher les sucs. Ajouter l'oignon, le fenouil, le céleri, la carotte et la pomme de terre. Faire revenir à feu moyen 3 minutes. Saupoudrer de farine et mélanger. Incorporer la pâte de tomates et l'ail. Verser le vin et le bouillon. Ajouter le laurier et les tomates hachées. Porter à ébullition. Baisser le feu et laisser mijoter 35 minutes. Passer à travers un tamis posé au-dessus d'un bol.

Remettre le liquide dans la même casserole. Saler et poivrer. Ajouter la chair de homard hachée et 110 g (4 oz) de foie gras. Cuire à feu moyen-doux, en remuant jusqu'à ce que le foie gras soit bien incorporé.

Couper le reste du foie gras au torchon en tranches.

Verser la bisque dans des bols. Garnir de pinces de homard et de tranches de foie gras. Servir avec quelques pousses de radis.

Une entrée exceptionnelle aux saveurs remarquables de la terre et de la mer.

ASPERGES
AU BEURRE DE FOIE GRAS

Portions : 4   *Préparation :* 25 min   *Cuisson :* 15 min

1 c. à s. de grains de poivre Voatsiperifery
225 g (8 oz) de foie gras cru
¼ c. à thé de fleur de sel
450 g (1 lb) d'asperges vertes
110 g (4 oz) de foie gras au torchon, en dés

Dans un poêlon très chaud, faire revenir à feu moyen les grains de poivre 1 minute. Baisser le feu. Ajouter le foie gras cru et mélanger jusqu'à ce qu'il soit fondu. Ajouter la fleur de sel. Retirer le poêlon du feu et réserver le beurre de foie gras.

Dans une grande casserole d'eau bouillante salée, plonger les asperges. Cuire à feu moyen environ 8 minutes, selon la taille des asperges. Égoutter les asperges sur du papier absorbant.

Transférer les asperges dans le beurre de foie gras. Cuire les asperges dans la matière grasse, en les tournant souvent à l'aide de pinces.

Répartir les asperges sur des assiettes. Garnir de dés de foie gras au torchon. Servir immédiatement.

*Le parfum de ce poivre unique se diffuse savoureusement
et accompagne agréablement le foie gras dans ce plat d'une grande simplicité.*

La saveur douce et fruitée de l'aubergine japonaise se marie à merveille avec le foie gras

AUBERGINES JAPONAISES ET COPEAUX DE FOIE GRAS

Portions : 4   *Préparation :* 30 min   *Macération :* 1 h   *Cuisson :* 25 min

4 petites aubergines japonaises
3 c. à s. de sauce soja légère
2 c. à s. d'huile d'olive extra vierge
1 c. à s. de beurre
1 petit oignon blanc, en rondelles épaisses
Poivre noir moulu

Sauce
4 figues au sirop en conserve
60 ml (¼ tasse) de vin rouge
225 g (8 oz) de foie gras au torchon,
très froid

À l'aide d'un petit couteau à pointe fine, couper le dessus des aubergines, puis les quadriller en incisant la chair dans les deux sens. Badigeonner de sauce soja et d'huile d'olive. Poivrer généreusement. Déposer dans un plat à four. Couvrir et laisser mariner 1 heure.

Préchauffer le four à 190 °C (375 °F).

Transférer le plat au four et cuire les aubergines 20 minutes.

Retirer le plat du four. Réserver les aubergines.

Dans un poêlon, faire fondre le beurre. Ajouter les rondelles d'oignon et faire revenir à feu moyen 3 minutes.

Retirer le poêlon du feu. Réserver les oignons.

Préparer la sauce. Dans une casserole, cuire les figues au sirop et le vin rouge à feu moyen 15 minutes. Transférer dans un robot culinaire et mixer 1 minute. Ajouter la moitié du foie gras et mixer 2 minutes. Passer à travers un tamis posé au-dessus d'un bol.

Verser la sauce dans des assiettes et y déposer les aubergines réservées. Ajouter une rondelle d'oignon réservé sur chaque aubergine. Émincer le reste du foie gras au torchon et en garnir les aubergines. Servir immédiatement.

39

PÉTONCLES, FOIE GRAS ET PURÉE DE MAÏS

Portions : 4   *Préparation :* **20 min**   *Cuisson :* **35 min**

6 épis de maïs, cuits
1 c. à s. d'huile d'olive extra vierge
1 oignon blanc, finement haché
1 gousse d'ail, écrasée
250 ml (1 tasse) de crème légère 15 %
2 c. à s. de gras de canard
12 gros pétoncles
12 petites tranches de foie gras au torchon
Sel et poivre

Égrener le maïs. Déposer 4 c. à s. de grains de maïs dans un bol et réserver le reste des grains dans une assiette.

Dans une casserole, faire chauffer l'huile d'olive. Ajouter l'oignon et l'ail. Faire revenir à feu moyen 3 minutes. Ajouter les grains de maïs réservés sur l'assiette et la crème. Cuire à feu doux 15 minutes.

Transférer le mélange dans le bol d'un mélangeur électrique. Mixer par petits coups jusqu'à consistance lisse. Saler et poivrer. Remettre dans la casserole et réserver au chaud.

Dans un poêlon, faire fondre le gras de canard. Ajouter les pétoncles et cuire à feu vif 2 minutes de chaque côté. Saler et poivrer.

Verser un peu de sauce dans des assiettes. Répartir les pétoncles et les 4 c. à s. de grains de maïs du bol. Garnir les pétoncles de tranches de foie gras et servir.

*La douceur du maïs
et la délicatesse des pétoncles
exaltent la saveur du foie gras.*

FOIE GRAS POÊLÉ
ET SA GELÉE DE POIVRON

Portions : 4   *Préparation :* **15 min**   *Réfrigération :* **30 min**   *Cuisson :* **50 min**

450 g (1 lb) de foie gras entier cru
4 c. à s. de beurre de cacao
250 ml (1 tasse) de gelée de poivron
1 c. à s. de vinaigre balsamique
12 asperges blanches (ou vertes)
Sel et poivre

Couper les deux lobes de foie gras en tranches épaisses. Saler et poivrer généreusement. Passer les tranches dans le beurre de cacao. Secouer pour en retirer l'excédent. Déposer les tranches sur une assiette. Réfrigérer 30 minutes.

Dans un bol, au fouet, mélanger la gelée de poivron et le vinaigre balsamique.

Retirer l'assiette de foie gras du réfrigérateur. Faire chauffer un grand poêlon sur feu vif. Déposer les tranches dans le poêlon et cuire 2 minutes de chaque côté. À l'aide d'une spatule, tourner les tranches de foie gras et les arroser du gras de cuisson.

Déposer les tranches de foie gras et les asperges sur des assiettes. Répartir la gelée de poivron sur les tranches et les asperges. Servir immédiatement.

Une entrée spectaculaire où la saveur douce du poivron anime le goût exceptionnel du foie gras.

CUISSES DE PINTADE AU JUS DE PORTO ET AU FOIE GRAS

Portions : 4   Préparation : 30 min   Macération : 4 h   Cuisson : 55 min

250 ml (1 tasse) de porto rouge
2 c. à s. de sauce Worcestershire
3 branches de romarin
3 gousses d'ail, finement hachées
4 cuisses de pintade
2 c. à s. de gras de canard
450 g (1 lb) d'escalopes de foie gras
1 c. à thé de vinaigre de vin rouge
280 g (2 tasses) de riz sauvage cuit
Sel et poivre

Dans un plat profond, verser le porto et la sauce Worcestershire. Ajouter le romarin, l'ail et les cuisses de pintade. Couvrir et laisser macérer 4 heures.

Préchauffer le four à 190 °C (375 °F). Transférer les cuisses de pintade sur du papier absorbant. Retirer le romarin. Réserver la marinade.

Dans un poêlon pouvant aller au four, faire fondre le gras de canard. Ajouter les cuisses de pintade et faire rôtir à feu moyen 4 minutes de chaque côté. Arroser de la marinade réservée. Couvrir et cuire au four 45 minutes.

Retirer le poêlon du four. Laisser reposer.

Saler et poivrer généreusement les escalopes de foie gras. Dans un poêlon très chaud, cuire les escalopes à feu vif 2 minutes de chaque côté. À l'aide d'une spatule, transférer les escalopes sur du papier absorbant. Verser le jus de cuisson des cuisses de pintade dans le poêlon de foie gras et porter à ébullition. Incorporer le vinaigre. Retirer le poêlon du feu.

Déposer les cuisses de pintade et les escalopes de foie gras dans des assiettes chaudes. Napper de sauce. Servir avec le riz sauvage.

*La pintade est à l'honneur
dans cette savoureuse recette
qui régalera toute la famille.*

Les saveurs de pain d'épices sont toujours appropriées avec le foie gras.

CAILLES FARCIES AU FOIE GRAS ET PAIN D'ÉPICES

Portions : 4   *Préparation :* 45 min   *Cuisson :* 45 min

2 c. à s. d'huile végétale
4 très grosses cailles, désossées
2 c. à s. d'huile de noix
125 g (4½ oz) de foie gras frais, en 4 morceaux
125 ml (½ tasse) de bouillon de volaille
2 c. à s. de beurre
4 tranches de pain d'épices
Sel et poivre

Sauce
1 c. à s. de beurre
450 g (1 lb) de champignons de Paris, émincés
60 ml (¼ tasse) de vin blanc sec
250 ml (1 tasse) de crème fraîche
110 g (4 oz) de foie gras au torchon, en dés
½ c. à thé d'épices à pain d'épices
Sel et poivre

Préchauffer le four à 180 °C (350 °F). Badigeonner d'huile un plat à four. Saler et poivrer les cailles. Badigeonner l'intérieur et l'extérieur des cailles d'huile de noix. Déposer les cailles dans le plat et cuire au four 20 minutes.

Retirer le plat du four. Ouvrir délicatement chaque caille pour y insérer un morceau de foie gras frais. Verser le bouillon autour des cailles. Couvrir le plat. Poursuivre la cuisson au four 20 minutes.

Pendant ce temps, préparer la sauce. Dans un grand poêlon, faire fondre le beurre. Ajouter les champignons et faire revenir à feu moyen 8 minutes. Saler et poivrer. Arroser de vin blanc et laisser réduire de moitié. Verser la crème fraîche et incorporer les dés de foie gras. Saupoudrer d'épices à pain d'épices. Cuire en remuant jusqu'à ce que le foie gras soit complètement fondu.

Dans un autre poêlon, faire fondre 2 c. à s. de beurre. Ajouter les tranches de pain d'épices et faire revenir à feu moyen-vif 2 minutes de chaque côté.

Retirer le plat du four. Servir les cailles avec la sauce et les tranches de pain d'épices grillées.

FOIE GRAS POÊLÉ
AUX ÉCHALOTES CARAMÉLISÉES

Portions : 4 *Préparation :* **20 min** *Réfrigération :* **2 h** *Cuisson :* **35 min**

1 c. à thé de sel de mer fin
1 c. à thé de poivre de Sichuan moulu
1 pincée de piment de la Jamaïque
450 g (1 lb) de foie gras entier cru
250 ml (1 tasse) de rhum brun épicé
2 c. à s. de sirop d'érable moyen
1 c. à s. de beurre
12 échalotes, pelées
1 bâton de cannelle
12 grains de coriandre
1 étoile d'anis
375 ml (1½ tasse) de fond de veau
110 g (4 oz) de noisettes grillées entières
Sel et poivre

Dans un bol, mélanger le sel, le poivre de Sichuan et le piment de la Jamaïque. En frotter le foie gras.

Dans un plat peu profond, mélanger le rhum et le sirop d'érable. Déposer le foie gras dans le plat et le retourner plusieurs fois pour bien l'enrober. Couvrir et réfrigérer 2 heures.

Dans un grand poêlon, faire fondre le beurre. Ajouter les échalotes, la cannelle, la coriandre et l'anis étoilé. Faire revenir à feu moyen 5 minutes. Saler et poivrer. Verser le fond de veau et porter à ébullition. Ajouter les noisettes et poursuivre la cuisson à feu doux 15 minutes.

Retirer le foie gras du réfrigérateur. Égoutter le foie gras sur du papier absorbant. Ajouter la marinade dans le grand poêlon avec le mélange d'échalotes. Cuire à feu doux 7 minutes.

Pendant ce temps, dans un autre poêlon chaud, cuire le foie gras à feu vif 3 minutes de chaque côté.

Transférer le foie gras poêlé, le mélange d'échalotes et leur sauce sur une assiette de service. Servir immédiatement.

a vraie recette des amateurs de foie gras poêlé.
es échalottes caramélisées amènent l'onctuosité de la chair à un autre niveau.

CÔTE DE VEAU, CHUTNEY MINUTE AU FOIE GRAS

Portions : 4   Préparation : 45 min   Cuisson : 55 min   Repos : 15 min

c. à s. d'huile d'olive extra vierge
gros oignons, en dés
gousse d'ail, hachée
branches de céleri, hachées
c. à s. de gingembre frais râpé
50 ml (1 tasse) de vin blanc sec
c. à s. de raisins secs
00 g (½ tasse) de sucre
pomme verte, pelée et en dés
tomates, en dés
2 abricots secs, hachés
25 ml (½ tasse) de jus d'abricot
branches de romarin
10 g (4 oz) de foie gras au torchon, en cubes
c. à s. de gras de canard
côtes de veau d'environ 2,5 cm (1 po)
l'épaisseur avec l'os, dégraissées
Petites pâtes (au choix)
el et poivre

Dans une grande casserole, faire chauffer l'huile d'olive. Ajouter les oignons, l'ail, le céleri, le gingembre et une pincée de sel. Faire revenir à feu moyen 5 minutes. Verser le vin. Porter à ébullition. Ajouter les raisins secs et le sucre. Remuer jusqu'à dissolution complète. Ajouter la pomme, les tomates, les abricots secs, le jus d'abricot et 2 branches de romarin. Cuire à feu moyen-doux 20 minutes. Saler et poivrer.

Retirer la casserole du feu. Retirer le romarin. Incorporer les cubes de foie gras. Laisser refroidir.

Préchauffer le four à 190 °C (375 °F).

Dans un grand poêlon pouvant aller au four, faire fondre le gras de canard. Ajouter les 2 dernières branches de romarin et les côtes de veau. Cuire à feu vif 2 minutes de chaque côté. Arroser la viande du gras de cuisson. Transférer le poêlon au four et cuire 15 minutes.

Retirer le poêlon du four et laisser reposer 5 minutes avant de servir la viande avec le chutney et des pâtes.

Le chutney au foie gras peut être servi avec toutes les viandes ou volailles grillées.

BROCHETTES DE CANARD, SAUCE AU FOIE GRAS

Portions : 4 *Préparation :* 40 min *Réfrigération :* 4 h *Cuisson :* 45 min

250 ml (1 tasse) de porto
125 ml (½ tasse) de jus d'orange
900 g (2 lb) de magret de canard, en cubes
4 branches de thym
1 pincée de muscade moulue
3 gros poivrons rouges, en cubes
Sel et poivre

Sauce
110 g (4 oz) de foie gras au torchon
2 c. à s. de gras de canard
1 oignon, finement haché
1 branche de céleri, finement hachée
60 ml (¼ tasse) de cognac
250 ml (1 tasse) de fond de veau
250 ml (1 tasse) de crème légère 15 %
Sel et poivre

Dans un grand plat peu profond, verser le porto et le jus d'orange. Ajouter les cubes de canard, le thym et la muscade. Saler et poivrer. Couvrir et réfrigérer au moins 4 heures.

Retirer le plat du réfrigérateur. Égoutter les cubes de canard sur du papier absorbant.

Sur des brochettes, piquer les cubes de canard et de poivron en les alternant.

Préparer la sauce. Dans un bol, écraser le foie gras à la fourchette. Saler et poivrer. Laisser reposer.

Dans une casserole, faire fondre le gras de canard. Ajouter l'oignon et le céleri. Faire revenir à feu moyen 4 minutes. Verser le cognac et porter à ébullition. Verser le fond de veau et porter à ébullition. Baisser le feu et laisser mijoter 20 minutes. Passer la sauce à travers un tamis posé au-dessus d'un bol. Remettre la sauce dans la casserole. Ajouter le foie gras écrasé et faire fondre, en remuant sans cesse. Incorporer la crème et cuire à feu doux 2 minutes.

Dans un grand poêlon, cuire les brochettes à feu moyen environ 5 minutes de chaque côté. Les transférer sur des assiettes. Servir avec la sauce au foie gras.

*Cette sauce d'une onctuosité remarquable
ajoute un goût riche au canard.*

Ce plat un brin décadent fait le bonheur de to

BURGER DE VEAU ET DE CANARD AUX FIGUES ET AU FOIE GRAS

Portions : 4   Préparation : 25 min   Réfrigération : 1 h 30
Cuisson : 15 min   Repos : 5 min

450 g (1 lb) de veau haché
450 g (1 lb) de magret de canard, haché
1 échalote, finement hachée
2 figues au sirop, hachées
110 g (4 oz) de foie gras au torchon
4 c. à s. de gelée de porto
2 c. à s. de gras de canard
4 petits pains briochés, en moitié
4 feuilles de laitue
Sel et poivre

Dans un bol, mélanger le veau, le canard, l'échalote et les figues. Saler et poivrer. Façonner 8 galettes avec le mélange et les déposer sur une assiette. Couvrir et réfrigérer 1 heure.

Retirer l'assiette du réfrigérateur. Couper le foie gras en 4 tranches épaisses. Disposer une tranche de foie gras sur 4 des galettes de viande. Déposer 1 c. à thé de gelée de porto sur le foie gras. Couvrir d'une seconde galette. Fermer les galettes en pinçant le tour. Réfrigérer 30 minutes.

Dans un poêlon, faire fondre le gras de canard. Ajouter les galettes au foie gras et cuire à feu moyen environ 6 minutes de chaque côté, en arrosant souvent la viande du gras de cuisson.

Retirer le poêlon du feu et laisser reposer 5 minutes.

Tartiner chaque pain brioché du reste de gelée de porto. Garnir de laitue et des galettes cuites. Servir immédiatement.

POIRES AU FOIE GRAS, SAUCE À LA TRUFFE

Portions : 4   *Préparation* : **30 min**   *Cuisson* : **35 min**

2 poires pas trop mûres
225 g (8 oz) de foie gras au torchon
110 g (4 oz) de foie gras cru
125 ml (½ tasse) de jus de poire
1 truffe en conserve, en lanières
1 c. à s. de jus de truffe (de la conserve)
½ c. à thé de sel d'oignon
Sel et poivre

Préchauffer le four à 190 °C (375 °F).

Couper les poires en deux. À l'aide d'une cuillère parisienne, creuser le centre des poires sans en percer la peau. Saler et poivrer. Déposer les poires dans un plat à four. Cuire au four 15 minutes.

Retirer le plat du four. Baisser la température à 180 °C (350 °F). Remplir les cavités des poires de foie gras au torchon. Lisser à la spatule. Couvrir d'une tente de papier aluminium. Poursuivre la cuisson au four 15 minutes.

Retirer le plat du four. Réserver.

Dans une casserole, faire fondre à feu doux le foie gras cru dans le jus de poire, en remuant sans cesse. Ajouter les lanières et le jus de truffe. Assaisonner de sel d'oignon. Cuire quelques minutes sans laisser bouillir.

Répartir la sauce à la truffe dans des assiettes. Ajouter les poires au foie gras. Servir immédiatement.

u sucré, ce mariage audacieux
riche en saveurs émerveille les papilles.

Ce qu'il faut savoir

La première recette de foie gras connue remonte à la fin du IVe siècle après J-C. et se trouve dans une compilation de recettes romaines attribuée en grande partie au célèbre gastronome romain du Ier siècle, Marcus Gavius Apicius. Les Romains appelaient ce mets *iecur ficatum* (foie aux figues) puisqu'ils utilisaient des boulettes de figues séchées pour gaver les oies et les canards, une pratique déjà courante dans la Grèce antique.

Produit d'exception, le foie gras est issu de plus en plus d'une production éthique et réglementée, qui se déroule dans le plus grand respect pour les animaux d'élevage.

Le consommateur a un vaste choix de produits de foie gras qui se prêtent à diverses utilisations. Le foie gras de canard est plus consommé que celui de l'oie ; son goût est plus prononcé.

Le foie gras est souvent décrit comme faisant partie du patrimoine gastronomique de la France. Mais aujourd'hui, avec l'intérêt culinaire croissant de par le monde, le foie gras de qualité est produit partout, notamment au Québec. Il se cuisine de nombreuses manières, autant en Amérique du Nord qu'en Asie.

Guide pratique

Le foie gras **cru** doit peser entre 300 et 500 g (10,5 et 17,6 oz). Il est principalement rôti au poêlon en tranches, mis en conserve ou cuit au torchon. Il s'achète aussi en escalopes prêtes à rôtir. Il se conserve 4 jours au réfrigérateur ou 4 mois au congélateur. Il se déguste avec des fruits, des confitures ou des confits.

Le foie gras **mi-cuit ou au torchon** poché s'achète en boudin de 200 à 450 g (7 à 15,8 oz) ou en tranches. Il se conserve environ 2 semaines au réfrigérateur ou 2 mois sous-vide. Il peut aussi être congelé 3 mois. Très moelleux, il se déguste en tranches avec de la fleur de sel et de la confiture. Il peut être préparé en mousse et autres préparations.

Stérilisé, le foie gras **en conserve** est souvent plus sec que le torchon. Il peut se conserver 2 ans à température ambiante. Il se déguste en tranches ou tartiné sur du pain grillé.

Les pâtés de foie, les mousses de foie, les terrines ou autres produits intègrent souvent d'autres sortes de viandes et des aliments ajoutés.

COMMENT CHOISIR SON FOIE GRAS

Il doit s'agir d'un foie gras pur, c'est-à-dire non retravaillé et composé exclusivement de canard ou d'oie.

Le foie gras doit être choisi par son aspect, son odeur, son toucher, son poids et sa couleur. Le foie gras de qualité est sans tache de sang et sans hématome.

La couleur est un signe de qualité : un jaune pâle pour le canard et un blanc crème rosé pour l'oie.

LES VINS ET LE FOIE GRAS

Le foie gras est riche en acides gras insaturés et sa saveur est mise en valeur par un vin doux ou moelleux. Voici quelques vins qui s'accordent à merveille avec lui :

- le sauternes,
- le monbazillac,
- le Passito de Pantellerie,
- le gewurztraminer,
- le vin de glace,
- le champagne, son incontournable compagnon.

À noter qu'un vin rouge tannique de type Bordeaux ou Madiran, un whisky ou un cognac, conviennent parfaitement avec un foie gras poêlé.

TABLEAU DE CONVERSION

Mesures des liquides et des volumes

Métrique	Américain	Impérial
5 ml	1 c. à thé	1/6 oz
15 ml	1 c. à soupe	1/2 oz
60 ml	1/4 tasse (4 c. à s.)	2 oz
85 ml	1/4 tasse	2 1/2 oz
125 ml	1/2 tasse	4 oz
180 ml	3/4 tasse	6 oz
250 ml	1 tasse	8 oz
375 ml	1 1/2 tasse	12 oz
500 ml	2 tasses	16 oz
750 ml	3 tasses	24 oz (1 1/5 chopine)
1 L	4 tasses	32 oz (1 3/5 chopine)
2,5 L	10 tasses	80 oz (4 chopines)

Mesures solides

Métrique	Impérial
30 g	1 oz
45 g	1 1/2 oz
55 g	2 oz
85 g	3 oz
110 g	4 oz
125 g	4 1/2 oz
450 g	16 oz (1 lb)
500 g	1 lb 1 1/2 oz
1 kg	2 lb 3 1/2 oz
1,5 kg	3 lb 5 oz
2 kg	4 lb 6 1/2 oz

Température du four

°C	°F	Thermostat
120	250	1/2
135	275	1
150	300	2
160	325	3
180	350	4
190	375	5
200	400	6
220	425	7
230	450	8
250	475	9

Abréviations

g	gramme
kg	kilogramme
lb	livre
ml	millilitre
L	litre
oz	once
po	pouce

LISTE DES RECETTES

DÉCOUVREZ LA COLLECTION

PAR *Andrea*

CAVIAR
PAR *Andrea*

ANDRÉA JOURDAN

ÉRABLE
PAR *Andrea*

ANDRÉA JOURDAN

FOIE GRAS
PAR *Andrea*

ANDRÉA JOURDAN

TRUFFE
PAR *Andrea*

ANDRÉA JOURDAN

Suivez nous sur le web !

andreajourdan.com